CECILIA PISOS

Concurso hechizado

Ilustraciones: Alejandro O'Kif

—Espejo, espejito, ¿quién es la brujita más bella de la calle,
del barrio,
del país,
del mundo y
del universo? —le preguntó Guadalupe Sinverruga a su imagen en el espejo del viejo armario de sus tías.

—Ay, ¿no te parece que exageras un poco, Guada? —le hizo ver Poli, su polilla mascota—. Ni la reina mala de Blancanieves se creía taaan superhermosa, ¿eh?

Pero Guadalupe no le hacía caso y se volvía a mirar y a mirar, mientras se peinaba el flequillo con una de las escobas de su colección mágica y después, cantaba a voz en grito:

Para ser buena bruja
se necesita
una escoba que vuele,
una escoba que vuele
y mil escobitas...
Y arriba y arriba,
y arribairé,
yo volaré, yo voláreee...

Guadalupe Sinverruga era bruja, sobrina de dos tías brujas, Merche y Lola, y vivía con ellas en un tranquilo barrio de la ciudad.

De día, iba a la escuela y su mejor amigo era Nacho.

Pero amigas o amigos brujos de su edad, no tenía ninguno. Siempre se quejaba por eso, y aquel día frente al espejo también:

—¡Ay, si tuviera una brujamiga para contarle mis secretos! Menos mal que estás tú Poli, que si no, me saldrían por las orejas los hechizos, las pócimas, los trucos que se me ocurren todo el tiempo para demostrar a las tías el poder de mi magi...¡auch!

—¿De tu "magiauch", Guada? ¿Qué es la "magiauch"?

—¡Auch, auch, auch! —dio por toda respuesta Guada—. Y enseguida agregó:

—¿No lo ves, Poli? Ahí, en el fondo del espejo: primero me picó la cabeza y ahora se ha posado en el balcón de la casa de enfrente, esa adonde se mudaron los nuevos vecinos.

—Ah, sí... Un dulce y tierno cuervo... No te quejes tanto, te habrá dado un besito un poco fuerte pero nada más.

—Sí, Poli, pero, ¿no te parece raro ese cuervo, aquí, en el barrio? Tan diferente de los gorriones y de las palomas. Y con esos ojos amarillos...

—Cuervo, cuervo, que yo recuerde... —pensaba y revoloteaba Poli chocándose contra la tapa del libro donde vivía—. ¡Ya lo sé! En la fábula de la zorra y el cuervo, pero en ésa al que engañan es al cuervo: le hacen abrir el pico para cantar y así suelta un pedazo de queso que tenía para la cena y se lo come la antipática de la zorra.

—¡Escóndete, Poli, que vuelve! —avisó Guadalupe a su mascota, mientras cerraba justo la ventana y el cuervo hacía ¡plaf! y se resbalaba con ruido a vidrio rayado y pluma desplumada.

—Eso estuvo cerca —reconoció Poli, patinando entre las páginas de su libro.

—¿Lo ves? Ahora me das la razón, ¿no? Algo raro tiene ese cuervo: venía directo hacia mi cara, cuando le cerré la ventana... Pero, ¡ay! ¿Tú has cogido mi escobita de peinarme el flequillo? La tenía hace un momento en la mano.

—Mira dónde está ahora, Guada —le dijo Poli, señalándole el balcón de enfrente, donde "el cuervito inocente" se estaba peinando las plumas de la cola.

—¡Guau! ¡Qué rabia! —soltó Guadalupe, subiéndose a la escoba de volar.

Pero justo cuando cogía la casalibro de Poli para tener compañía, sonó el timbre.

—¡Siempre suena el timbre en tus cuentos y pasa algo, Guadalupe! —se quejó Poli.

—Vale, sigamos, agárrate fuerte...

Guadalupe y Poli levantaron el vuelo por encima de la cama, abrieron la puerta y bajaron rasantes con la escoba por la escalera hasta el comedor. Pero cuando ya tomaban carrerilla para salir volando por el patio de atrás, sonaron juntas las voces de Merche y Lola:

—¡Guadalupe! Mira quién ha venido a visitarnos...

Y luego tres voces extrañas, que se oyeron más bien como chillidos.

—¡Malas tardes!

—¡Mucho susto!

—¡Hechizada!

Guadalupe se dio la vuelta con sobresalto: esos eran saludos típicos de los amigos de las tías. "¡Mecachis!", pensó, "había reunión y me he olvidado".

—Ven a saludar a nuestros nuevos vecinos, Guada. Te vas a llevar una sorpresa.

"¿Serán los de enfrente? ¡No puedo creer que además sean brujos!", pensó Guada.

En el sofá de lunitas, acorralados por los 27 mimosos

gatos de las tías, estaban los tres, de túnica, sombrero y escoba, es decir, de uniforme oficial.

—¡Por fin ya no te vas a lamentar de no tener amigas! Ella es Porcelia y tiene ocho años, como tú.

—Hola, ¿te gusta cantar? ¿coleccionas escobas? —le preguntó Porcelia.

—Sí, yo también colecciono, claro —contestó Guadalupe pero sin dejar de mirarle los ojos y el pelo negro negro a la nueva vecinita.

—¿Y cantas? —insistió Porcelia—. Y enseguida carraspeó y entonó la Bamba de las Brujas.

Mientras todos aplaudían a la brujita Porcelia, y sus tías la llenaban de besos de pintalabios violeta, Guada no podía cerrar la boca del asombro: tenía su mismo peinado, cantó exactamente la misma canción que ella había estado ensayando para el Concurso Anual de las Brujas Cantoras... y esos ojos amarillos, ¿dónde los había visto antes?

En ese momento, Poli se le metió en la oreja y le sopló:

—Aplaude, Guada, hazte su amiga...

Tal vez por eso, Guadalupe, sin pensarlo, dijo:

—¿Y si nos presentamos juntas al concurso? Yo también me sé esa canción.

En un microminuto se arrepintió, al escuchar a los padres brujos:

—No es por ofender pero la niña tiene una voz de oro, ¡qué de oro!, de perlas cantarinas, ¡qué de perlas cantarinas!, de río que corre murmurando notas de agua a los dulces pájaros de la ori...

—Pero Guadalupe sacó mención especial el año pasado en el concurso —interrumpió tía Lola, harta ya de los quequequé de los vecinos.

—Y este año le han prometido que la acompañará el Coro de las Lechuzas Chuzas, así que...

—Así que veremos quién canta mejor —amenazó la bruja madre con ojos odiosos y también amarillos, descubrió Guada.

Y los vecinos de enfrente se fueron volando sin saludar y aterrizaron de culo, pero fingiendo que no les dolía, en el balcón, al otro lado de la calle.

—Eso sí que no podemos tolerarlo, Merche —dijo Lola con la cara que ponía al hacer los hechizos desdichosos.

—Claro que no —estuvo de acuerdo su hermana, cruzándose de brazos, de piernas y de orejas, lo que quería decir que estaba enfadadísima.

Y luego, las dos juntas, cada una a un lado, le advirtieron a Guadalupe:

—Día y noche entrenarás... ¡Imposible no ganar!

Y desaparecieron por la cocina, seguro que a inventar alguna poción cantadora.

Guada se tiró en el sillón desanimada.

—¿Te das cuenta, Poli? En vez de una amiga, hoy me he ganado una.... ¡copiona! ¡Esa niña me vuelve loca!

La pobre Guadalupe empezó al día siguiente un entrenamiento intensivo para el concurso de canto. Al poco tiempo, ya estaba harta:

—Ojalá nunca hubiera conocido a Porcelia, ojalá no tuviera que participar en el concurso, ojalá no fuera bruja sobrina de brujas, ¡ojalálálálá!

Un día en que Guadalupe ensayaba, como el primero de esta historia, frente al espejo mágico, LA CANCIÓN —aclaremos que ya no era la Bamba de las Brujas porque Porcelia se la había copiado—, Poli le avisó:

—¡Guada, shhh! Creo que escucho unos maullidos raros allí abajo...

Guada dejó la escoba micrófono y corrió a deslizarse por la barandilla de la escalera. Poli la siguió volando con alas cautelosas.

Cada vez que las tías salían, sus mascotas felinas se adueñaban de la sala, para dormir la siesta, justo como esa tarde. Pero cuando Poli y Guadalupe entraron, los mininos empezaron a arquear los lomos y a rascar con sus uñas la alfombra, y a enderezar el rabo en forma de flecha, señalando a un gatito-negro-mala-suerte que se había escondido asustado detrás del sofá.

—Me parece que ese gato no es nuestro —dijo Guada dando la vuelta al sillón.

—Efectivamente: acabo de contarlos y hay uno de más... Por cierto, Guada, el resto sigue en posición de flecha acusadora.

—¡Mira, Poli! El gatito tiene una libreta y una pluma entre las patas... A ver qué ha escrito —observó Guadalupe y luchó para sacársela.

—¡Cuidado, Guada! Los gatos de los cuentos pueden ser inteligentes y astutos, como el Gato con Botas, pero igual son unos analfabetos, no como las polillas, que...

—¡Para ya, Poli! ¡Aquí la tengo!

¡No es un gato verdadero!

¡Estaba copiando la letra de MI CANCIÓN!

Y ni bien pronunció esas palabras, el falso gato salió corriendo y se enganchó con la pluma y volcó el frasco de tinta.

Poli se puso a tranquilizar a los demás gatos con cosquillas en la panza.

Guadalupe, sin embargo, estaba más interesada en la pluma: —¡Es pluma de cuervo, Poli!

Cuando las tías llegaron, Guada les contó lo sucedido pero las brujas no prestaron atención: estaban inventando una túnica única para el concurso.

Una semana después, Guadalupe ya no cantaba frente al espejo para que no la espiara el cuervo. En cambio, había tenido la brillante idea de ensayar en la bañera, pensando que a los gatos no les gusta para nada el agua.

Con la escoba borramugre como micrófono, cantaba a viva viva voz y Poli, a prudente distancia, lejos de la espuma y las burbujas, le hacía los coros.

En eso estaban, cuando ¡plaf!, una arañaza se descolgó del techo, justo encima de la cabeza de Guadalupe.

Poli voló inmediatamente a reconocer al enemigo y se desesperó: —¡Guadalupe, la araña es una espía! ¡Tiene un micrófono incorporado! ¡Ya no cantes más!

Guadalupe se sumergió, y ya estaba preparando una ola

jabonosa para hundir a la araña cuando Poli gritó: —¡A ésta déjamela a mí, que es de mi tamaño!

Luego la abofeteó con las alas y la dejó medio mareada.

Guada sacó la cabeza afuera para respirar y vio cómo la araña enroscaba a Poli en un pedazo de tela donde ya había varias moscas prisioneras. Sin embargo, Poli, con sus dientes ultrafinos de polilla comecuentos ya estaba haciendo pedacitos la tela. Ahora eran cinco moscas y una polilla contra una araña asustada.

—¡Olé, araña! —la amenazó Poli como un torero, con un capote de papel higiénico.

Pero la araña, en vez de enfrentarse con sus enemigos, vio la oportunidad, se metió por una grieta y escapó.

—Era una araña-negro-cuervo, Poli. Con ojos amarillos —comentó pensativa Guadalupe. Y, al borde de las lágrimas—: ¡Y se llevó grabada MI CANCIÓN!

—Error, Guada, ella se fue pero el micrófono lo tengo yo —le contestó Poli con aire de triunfo.

Guada la abrazó emocionada y la llevó a acostarse a su casalibro. Cuando les contó a sus tías lo sucedido, ellas parecieron escucharla, pero en realidad estaban pensando en la presentación de su sobrina.

Dos días antes del concurso, sus tías ya tenían solucionado el tema de la túnica y el de los efectos especiales, y se habían puesto ansiosas otra vez. Por eso, cuando Guadalupe llegó de la escuela con Nacho, su compañero de pupitre, le advirtieron señalando con el índice:

—Haced los deberes rapidito y después, Nacho, te vas, que Guadalupe tiene que ensayar... digoo, dormir la canción, o más bien... cantar la siesta...

Los niños se fueron al cuarto de Guada y allí Nacho, apenas cerraron la puerta, le preguntó enfadado:

—¿De qué canción estaban hablando? Soy tu mejor amigo y no me has contado nada...

Y se sentó con los brazos cruzados, la boca fruncida y las cejas enmarañadas.

—Ay, Nachito, perdona, pero, es un concurso supersecreto: las tías me dijeron mil veces que no se lo contara a nadie... —le contestó Guada. Y para que se le pasara el enfado, propuso: ¿Escribimos rápido el cuento para lengua con la escobaboli y jugamos a los cochecitos voladores?

—Ah, no, primero me cuentas lo del concurso y después, veremos... —y Nacho se hacía el interesante.

—Pero Nacho, me vas a hacer desobedecer a mis tías... Es un concurso de canciones y yo voy a participar. Ahora ya lo sabes, ¿estás contento?

—¿Y qué vas a cantar?

—Ay, bobo, una canción muy bonita, con una música y unos coros que me ayuda a ensayar Poli y que...

—¡Cántamela, cántamela! ¡Venga! ¡Porfi! ¡Porfi! ¡Porfi! ¡Porfi! ¡Porfi! ¡Porfi!

Y Nacho no paró de decir porfi hasta que Guada se cansó y ya iba a empezar, cuando vio que su amigo se acomodaba en uno de los brazos del perchero para escucharla, como si fuera una cotorra o... ¡un cuervo!

—¡Ey, te vas a caer, Nacho, bájate!

—Quiiii, quiii –le respondió él agitando los brazos.

—Éste no es Nacho, mírale los ojos... —le advirtió Poli.

—¡Amarillos! ¡Eres el cuervo de los vecinos! ¡Vete!

—¿Qué dices, niña? Soy tu amigo de siempre, sólo me dio un poco de hipo, canta ya, venga.

Pero cuando dijo esto, la piel se le puso de color gris claro.

—¿Seguro que eres Nacho? —volvió a preguntar Guada.

—¡Sí, sí! ¡Canta de una vez, que se me acaba...

Y después de estas palabras interrumpidas, la piel de Nacho se puso de color gris oscuro.

—¡Uy, Guada! Esto me recuerda al cuento de Pinocho: cada vez que Nacho dice una mentira, en vez de crecerle la nariz, se pone más oscuro, mira.

Guadalupe miró y, en ese momento, la piel de Nacho era color negro mentira gorda.

Miró otra vez, más fijo, porque no podía creerlo, y a Nacho le crecieron pico y plumas.

Cuando miró por tercera vez, Nacho había salido volando por la ventana y se metía en casa de los vecinos.

—¡Fiuuuu! Nos salvamos, Guada, el cuervo se había convertido en Nacho.

—Sí, ya me he dado cuenta de eso... Lo que quiero saber es quién es el cuervo... aunque un poco me lo imagino...

Por fin, después de tantos ensayos y preocupaciones llegó el gran día. El comité organizador había preparado un escenario y tribunas en la azotea más alta y secreta de la ciudad, con escobapuerto para todos los asociados.

Guada, con su túnica de estrella giratoria no podía parar de dar vueltas de los nervios; sus tías le sacaban todo el rato pelusillas del pelo y le alisaban las pestañas.

—Estoy supernerviosa, tías.

Merche y Lola se acomodaron en el palco para familiares. Les tocó sentarse al lado de los "simpáticos" vecinos de su calle.

—¡Puaj! –dijeron ellas con falsa amabilidad.

—¡Puaj! –contestaron cortés pero fríamente los padres de Porcelia.

La primera parte de la competición le pasó a Guadalupe como un sueño: cada bruja tenía que dar su nota más grave y las dos voces más oscuras y negras pasaban a la siguiente prueba. Todas fueron cantando hasta que, al final, quedaron empatadas Guada y Porcelia. Y, casi de inmediato, pasaron a la prueba contraria: dar el chillido más agudo de la noche.

Porcelia chilló primero y se erizó la piel de todos los gatos, se vinieron abajo los murciélagos en vuelo.

Luego chilló Guada, y explotaron los sapos de piel viscosa y estallaron los calderos de sopa de hechizos. Otro empate.

— ¡Ya me tiene harta esta niña, Poli! —se quejó Guadalupe, mientras esperaba a que el jurado anunciara la prueba definitiva.

Por fin, las lechuzasaltavoces repitieron el anuncio a los cuatro vientos:

—A continuación, pasaremos a la prueba final para proclamar a la Reina del Canto. Primero, escucharemos a la señorita Porcelia Masoscura y, en segundo término, nos aturdirán las horrendas notas de Guadalupe Sinverruga, nuestra revelación del año pasado.

Se oyeron silbidos y aplausos de dedos huesudos y, de pronto, se hizo silencio. Porcelia cogió el micrófono y apenas abrió la boca, "quiii, quiii", se transformó en el cuervo de ojos amarillos, revoloteó por todo el escenario, y cayó, mareada, frente a la primera fila.

Intentó cantar otra vez y le salió un maullido largo, mientras le crecían el pelo, el rabo y los bigotes. Horrorizada, Porceliagato se subió otra vez para seguir con su actuación, cuando le aparecieron cuatro patas más y se le afinó la cintura: Porceliaraña caminó por todo el escenario, enredándose en su propia tela. El público aplaudía a rabiar, no le importaba que no se hubiera oído ni una sola nota de la canción: estaban fascinados con las transformaciones.

Guadalupe se retorcía las manos de los nervios. Las tías buscaban hechizos en los bolsillos pero sólo encontraban pelusas y botones descosidos.

Hasta que Poli infló sus pulmoncitos de polilla y gritó: —¡Nacho, Pinocho, Pinacho!

Y Porceliaraña se convirtió en Nacho, miró a su alrededor, al horrible público que estaba expectante, y le dio un ataque de susto y pánico que la dejó muda.

Sus padres, desesperados, le cantaban desde la tribuna, con gestos mudos, la canción, pero fue inútil. Porcelia ya no podía volver a su forma y el jurado la dejó fuera de competición: no se admitían participantes humanos en el concurso.

Era, por fin, el esperado turno de Guadalupe. Guada miró a las tías, que le sonreían con sus dientes negros; luego, chasqueó los dedos y el Coro de las Lechuzas Chuzas la rodeó. Por último, miró a los miembros del jurado, que le levantaron unos largos pulgares en señal de aprobación. Pero entonces vio a PorceliaNacho, tratando de esconderse entre los pliegues del telón y se decidió.

Hizo un pase con su vestido de estrella giratoria y todos quedaron cegados por el brillo. Mientras nadie veía, cogió de la mano a PorceliaNacho y le hizo dar una vuelta en el aire, justamente para invertir el hechizo. De Nacho se volvió araña y de araña, gato, y de gato, cuervo, y de cuervo (¡sí, era ella!, pensó Guadalupe), Porcelia.

Cuando terminó la vuelta, el público quedó frente a un dúo de brujitas, brillantes y nerviosas, que cantaron la Bamba de las Brujas. Porque esa canción sí que se la sabían las dos. Y con el último verso de la bamba, que todos los brujos coreaban, enloquecidos, con velitas negras en la mano, Guadalupe sacó la escoba de fuegos artificiales que le habían hecho las tías y ambas se montaron. En un segundo, estallaron

luces de todos los colores sobre la azotea, en medio del cielo, mientras las dos, por fin, amigas, se alejaban.

Al día siguiente, mientras Guadalupe tomaba el desayuno que sus orgullosas tías le habían llevado a la cama, Poli le preguntó:

—¿Se puede saber por qué la has ayudado?

—Yo quiero tener una brujamiga. Poli, no te enfades, pero a veces necesito hablar con alguien como yo... Además eran sus padres los que la enviaban a espiar; ella es muy tímida.

—Entiendo, entiendo... —dijo Poli, haciéndose la ofendida un minuto. Pero enseguida pidió:

—Guada, venga, cántame otra vez como cantaste ayer con Porcelia...

Y Guadalupe dejó el pedacito de tostada que estaba a punto de llevarse a la boca. Ya iba a entonar, cuando Poli recogió la tostada de la servilleta y se alejó hacia su libro, riéndose:

—¡Igualito que en la fábula de la zorra y el cuervo!

Esta edición se terminó de imprimir
en Pressur Corporation S.A. para
NELUTIR TRADING S.A.
C. Suiza, Uruguay